Directeurs de collection :

Laure Mistral
Philippe Godard

Dans la même collection :

Claire VEILLÈRES - Anna, Kevin et Nomzipo vivent en Afrique du Sud
Claire VEILLÈRES - Ikram, Amina et Fouad vivent en Algérie
Annie LANGLOIS - Tinnkiri, Lachlan et Liang vivent en Australie
François-Xavier FRELAND - João, Flavia et Marcos vivent au Brésil
Emilie GASC-MILESI - Kathryn, Sébastien et Virginie vivent au Canada
Pascal PILON et Elisabeth THOMAS - Meihua, Shuilin et Dui vivent en Chine
Claire VEILLÈRES - Malek, Youssef et Boussaïna vivent en Egypte
Michèle ANOUILH - Sultana, Leila et Everett vivent aux États-Unis
Philippe GODARD - Rigoberta, Juan et Marta vivent au Guatemala
Philippe GODARD - Shubha, Jyoti et Bhagat vivent en Inde
Alexandre MESSAGER - Ahmed, Dewi et Wayan vivent en Indonésie
Armand ERCHADI et Roman Hossein KHONSARI - Darya, Reza et Kouros vivent en Iran
Alexandre MESSAGER - Aoki, Hayo et Kenji vivent au Japon
Laure MISTRAL - Rachel vit à Jérusalem, Nasser à Bethléem
KOCHKA - Joumana, Omar et Alia vivent au Liban
Dorine LELEU - Aina, Lalatiana et Alisao vivent à Madagascar
Claire VEILLÈRES - Jaroslaw, Kasia et janusz vivent en Pologne
Cathy DUTRUCH - Miruna, Cosmin et Marius vivent en Roumanie
Maïa WERTH - Sacha, Andreï et Turar vivent en Russie
Bernadette BALLAND - Guy-Noël, Victor et Flore vivent au Rwanda
Bilguissa DIALLO - N'Deye, Oury et Jean-Pierre vivent au Sénégal
Alexandre MESSAGER - Mehmet, Hatice et Hozan vivent en Turquie
Alexandre MESSAGER - Khanh, Dung et Nghiep vivent au Vietnam

Retrouvez toutes nos parutions sur :
www.lamartinierejeunesse.fr
www.lamartinieregroupe.com

Conception graphique : Elisabeth Ferté
Réalisation : Hasni Alamat

Enfants d'ailleurs

Cathy Dutruch

Miruna, Cosmin et Marius vivent en Roumanie

Illustrations
Sophie Duffet

De La Martinière
Jeunesse

UKRAINE

HONGRIE

MOLDAVI

BRASOV

SERBIE

MONTÉNÉGRO

BUCAREST

DANUBE

CONSTA

MER
NOIR

BULGARIE

Voici la Roumanie !

Superficie : 238 391 km² (la France s'étend sur 550 000 km²). La Roumanie se situe au sud-est de l'Europe. Le pays a pour voisins la Hongrie et la Serbie à l'ouest, la Bulgarie au sud, la Moldavie à l'est et l'Ukraine au nord ; elle a aussi une ouverture sur la mer Noire, au sud-est. Les Carpates, qui coupent le pays d'ouest en est, forment le dernier ensemble montagneux avant les plaines de Russie.

Climat : le climat est de type continental : étés très chauds et hivers très froids. Le printemps et l'automne sont courts mais agréables. L'est de la Roumanie, dans les plaines, subit un climat aride, avec peu de précipitations, alors que la région des Carpates connaît un fort enneigement entre novembre et avril.

Population : 22 246 862 habitants en 2008. Les taux de natalité et de fécondité sont faibles, et la population vieillit. La population est composée à 89 % de Roumains. Les minorités ethniques sont : les Hongrois (7 %), concentrés en Transylvanie (région du centre-ouest bordée par les Carpates), les Roms (2 %), les Allemands (1,6 %), les Serbes, les Ukrainiens, les Bulgares, les Turcs et les Tatars. 10 millions de Roumains vivent à l'extérieur des frontières.

Villes principales : Bucarest, la capitale, avec plus de 2 millions d'habitants, Iasi (320 888 hab.), Cluj-Napoca (317 953 hab.) et Timisoara (317 660 hab.).

Langues et influences : la langue officielle du pays est le roumain, qui est issu du latin. Il y a eu un faible apport de mots slaves des pays voisins. Les Hongrois ont sauvegardé leur langue et les Roms parlent le romani.

Monnaie : le leu – au pluriel lei (« lion » en roumain) – est la monnaie officielle, en attendant de passer à la monnaie unique européenne, l'euro, vers 2012-2014.

Système politique : la Roumanie est une république démocratique parlementaire à deux Chambres. L'adhésion de la Roumanie à l'Union européenne est effective depuis le 1er janvier 2007.

Histoire

La Roumanie est une porte entre l'Orient et l'Occident, un lieu de passage. Dans l'Antiquité, la région s'appelait la Dacie. Ses habitants, les Daces, dotés de solides connaissances pour l'agriculture et l'élevage, le travail des métaux précieux, et menés par des rois très influents, résistèrent à l'Empire romain, jusqu'à leur défaite en 106, face à l'empereur Trajan.

À partir de 256, la Dacie vit déferler les Goths, les Huns, les Tatars et d'autres peuples venus d'Asie centrale et d'Europe orientale. Elle fut encore envahie par les Hongrois au XIᵉ siècle, puis par les Turcs ottomans aux XVᵉ et XVIᵉ siècles.

La domination turque dura quatre siècles. Ce fut en 1878 que le pays obtint son indépendance. La Roumanie dut pour cela abandonner une partie de son territoire aux Russes, qui l'avaient aidée à se débarrasser des Turcs.

Le XIXᵉ siècle apporta un développement culturel, scientifique et des idées politiques « neuves ». Les Roumains se mirent à rêver d'une patrie forte. Leur nouveau royaume vit le jour en 1881, avec le roi Carol Iᵉʳ.

En échange de son aide dans la lutte contre l'Allemagne et l'Autriche-Hongrie lors de la Première Guerre mondiale (1914-1918), la Roumanie reçut la région de la Transylvanie ; le pays passait ainsi de 130 000 à 237 000 km², et sa population augmentait d'un coup de 10 millions d'habitants.

Le peuple roumain actuel est le fruit de toutes ces invasions et de ces influences de civilisations différentes. C'est ce qui fait sa particularité, sa richesse.

Pendant l'entre-deux-guerres, la Roumanie plongea dans la violence, le fascisme (pouvoir nationaliste autoritaire) et l'antisémitisme (la haine des Juifs). Le maréchal Ion Antonescu, soutenu par l'Allemagne nazie, fut porté au pouvoir en 1940. Lors de la défaite des Allemands et de leurs alliés, Antonescu fut renversé par un coup d'État en 1944. Le roi Michel tenta de former un gouvernement démocratique. Mais le nouveau Parti communiste roumain remporta les élections et le roi abdiqua en 1947. La Roumanie s'aligna alors sur l'URSS, l'Union soviétique, qui proclamait l'avènement du communisme, un mode d'organisation de la société qui marque la fin de la propriété privée et le partage égal des richesses.

En 1965, Nicolae Ceausescu fut nommé à la tête du Parti communiste roumain. Il développa dès lors un modèle de société dans lequel les différences entre les villes et les campagnes n'existeraient plus. C'est ce qu'on appelle la « systématisation », sorte de modernisation violente et accélérée. Imbu de son pouvoir total, Ceausescu se révéla être un tyran. Il rasa des villages, affama le peuple et créa une police spéciale chargée d'espionner les gens. Les frontières du pays étaient fermées vers l'Europe de l'Ouest et les Roumains ne circulaient pas librement.

En décembre 1989, Ceausescu et sa femme, Elena, furent jugés et exécutés. Comme la plupart des autres peuples des pays de l'Est, les Roumains ne croyaient plus depuis longtemps à l'idéal communiste, qui ne représentait pour eux que privations de liberté ou de nourriture.
La première élection présidentielle fut remportée par Ion Illiescu en 1990 ; c'était un ancien dirigeant communiste converti au modèle de la démocratie occidentale. Pendant cette décennie, considérée comme une époque de « transition », la Roumanie vécut de grands bouleversements de société, marqués par le chômage et la lutte contre la corruption.

La démocratie est aujourd'hui acquise et soulignée par son entrée dans l'Union européenne en 2007.

La Bucovine fut rattachée à la Roumanie en 1918, après avoir été un terrain d'affrontements entre les troupes autrichiennes et russes.

Miruna, Cosmin et Marius nous présentent la Roumanie

Miruna va avoir onze ans. Elle habite à Bucarest avec ses parents et sa grand-mère. Elle a la vie d'une petite fille de famille plutôt « aisée » qui réside dans la capitale. La ville est en perpétuel mouvement. Un vrai tourbillon !

Cosmin vit avec ses parents à Constanta, au bord de la mer Noire, il a douze ans. Sa famille est dans le commerce. Son père est issu d'une famille de pêcheurs du Danube. Cosmin connaît bien le delta du Danube, les îles et les villages, la faune et la flore. Il aime passer du temps avec les pêcheurs, les regarder vivre.

Marius a dix ans. Il habite dans un quartier de Zizin, un petit village près de Brasov dans les montagnes des Carpates. La communauté tsigane vit à l'écart du reste du village. Sa famille, comme toutes les autres familles « roms » (tsiganes) vit un quotidien difficile.

Miruna, la vie à la capitale

Miruna vit dans la capitale, Bucarest. Avec ses parents et sa grand-mère, elle habite dans un immeuble du centre, un très petit appartement composé d'une minuscule cuisine, d'une chambre pour ses parents, d'une autre pour elle et sa grand-mère, et d'un salon-salle à manger très étroit. Comme des milliers de Bucarestois, la famille de Miruna vit dans ces « blocs » de béton construits dans les années 1970 sur le même modèle pour tous.

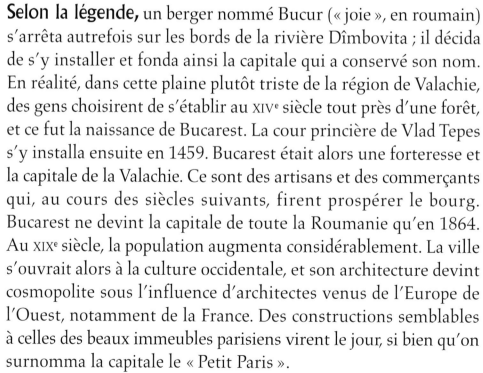

Bucarest, de la cour des princes à la métropole actuelle

Selon la légende, un berger nommé Bucur (« joie », en roumain) s'arrêta autrefois sur les bords de la rivière Dîmbovita ; il décida de s'y installer et fonda ainsi la capitale qui a conservé son nom. En réalité, dans cette plaine plutôt triste de la région de Valachie, des gens choisirent de s'établir au XIVe siècle tout près d'une forêt, et ce fut la naissance de Bucarest. La cour princière de Vlad Tepes s'y installa ensuite en 1459. Bucarest était alors une forteresse et la capitale de la Valachie. Ce sont des artisans et des commerçants qui, au cours des siècles suivants, firent prospérer le bourg. Bucarest ne devint la capitale de toute la Roumanie qu'en 1864. Au XIXe siècle, la population augmenta considérablement. La ville s'ouvrait alors à la culture occidentale, et son architecture devint cosmopolite sous l'influence d'architectes venus de l'Europe de l'Ouest, notamment de la France. Des constructions semblables à celles des beaux immeubles parisiens virent le jour, si bien qu'on surnomma la capitale le « Petit Paris ».

Le quartier où habite la famille de Miruna est semblable à de nombreux autres quartiers de Bucarest. C'est un mélange de vieilles bâtisses au charme intact et de bâtiments gris, immenses, dans lesquels logent des milliers de familles. Ces immeubles sans âme ont tous été bâtis sur le même modèle.

Il s'agissait, pour le régime communiste, qui dirigea le pays de 1945 à 1989, de créer un « homme nouveau ». S'inspirant du modèle communiste de la Corée du Nord, Nicolae Ceausescu décida dans les années 1970 de changer radicalement le mode de vie des Roumains. Pour atteindre cet objectif, il fallait construire des structures nouvelles, des

Nicolae et Helena Ceausescu désiraient donner en permanence une image très positive d'eux-mêmes. Cet homme qui se faisait appeler le « génie des Carpates » pratiquait le culte de la personnalité.

lieux d'habitation identiques dans lesquels tous les Roumains auraient les mêmes conditions de vie. Ainsi, dans chaque quartier, on pouvait retrouver la même épicerie « d'État » (elle appartenait à l'État et non à des personnes privées) et le même magasin de vêtements « d'État » au pied des immeubles.

L'idée de supprimer les cuisines des appartements fut même avancée, pour les remplacer par de gigantesques « réfectoires », un par quartier.

La marque du pouvoir

De son minuscule balcon fermé, Miruna aperçoit une toute petite église très ancienne. Coincée entre deux blocs, elle fut déplacée là après le tremblement de terre de 1977, qui causa la mort de milliers de personnes.

Ce séisme donna un argument de plus au *conducator*, le dirigeant communiste, pour reconstruire les bâtiments détruits selon le « modèle » qu'il avait décidé, lui. C'est à cette époque que fut construit le plus grand bâtiment d'Europe : le Palais du peuple, devenu ensuite le Parlement. C'était un projet pharaonique, et de nombreux ouvriers moururent d'épuisement pour terminer cette construction dans les délais imposés par le dictateur. D'autres bâtiments administratifs de type « soviétique » dominent la ville. Ce sont des sortes d'immeubles massifs et impressionnants d'un style très particulier, néoclassique, typique des pays de l'Est qui ont connu des régimes politiques totalitaires. De dimensions écrasantes, ils marquent la toute-puissance de l'État sur l'individu.

Ceausescu n'a cependant pas réussi à défigurer complètement Bucarest, et Miruna aime sa ville, comme tous les Bucarestois, habitués à ces contrastes d'architecture. Le XXIe siècle s'est imposé à Bucarest par de nouvelles constructions ultramodernes dans le centre-ville, alors que quelques chantiers demeurent abandonnés depuis les années 1970-1980.

La grand-mère de Miruna doit habiter avec ses enfants car en Roumanie, les retraites sont très faibles.

Le visage de la capitale s'est modifié ainsi en fonction des événements et des changements politiques. Ce n'est pas le cas de toutes les capitales, qui n'ont pas connu autant de tragédies et ont pu garder une harmonie, une cohérence dans leur architecture. La métropole compte plus de 2 millions d'habitants et la périphérie se développe tout autant. Des quartiers résidentiels apparaissent, des banlieues se forment. La ville est en perpétuel mouvement.

La famille de Miruna a connu des années difficiles en Roumanie

pendant la dictature de Nicolae Ceausescu mais envisage l'avenir avec confiance. Vivre à quatre dans un si petit appartement n'a jamais posé de problème, car tout le monde s'entend très bien. La grand-mère de Miruna s'occupe de sa petite-fille depuis sa naissance, car ses parents, Adrian et Doina, ont toujours travaillé. Elle fait aussi les petites courses et la cuisine pour aider la famille. Le père de Miruna est informaticien. En 2000, la capitale a connu un grand boom économique. Les frontières se sont ouvertes et des entreprises sont venues s'installer en grand nombre. Adrian a été embauché dans une société étrangère et gagne maintenant l'équivalent de 650 euros par mois, alors que le salaire moyen est proche de 350 euros. Doina, qui est institutrice, donc fonctionnaire de l'État roumain, gagne environ 300 euros par mois. Elle donne aussi des cours du soir. Il n'est pas rare en Roumanie de cumuler deux emplois pour avoir des revenus corrects.

Quant à la grand-mère, la retraite qu'elle perçoit est si petite qu'il ne

lui serait pas possible de vivre seule. Il y a à Bucarest, comme partout en Roumanie, une grande disparité de revenus, de très grandes différences entre les riches et les pauvres, et c'est dans la capitale que les salaires sont les plus élevés. Pour les personnes âgées, la situation est difficile partout.

Le chemin de l'école

Le matin, Miruna se rend à l'école, accompagnée par sa grand-mère. Elle ne va pas dans l'établissement où enseigne sa maman, mais dans l'école de son quartier, l'école numéro 11.

Ce n'est pas très joli, le nom d'une école avec un numéro, se plaint-elle souvent à sa grand-mère. Il est question de donner un nouveau nom à celle de Miruna et elle voudrait la baptiser « École Mihai Eminescu », du nom du poète roumain qu'elle préfère, ou pourquoi pas « École Jacques Prévert », car elle a lu le poète français et elle l'apprécie lui aussi. Miruna adore la poésie, elle en a beaucoup lu, car il y a chez elle de nombreux livres. Même si le salon est étroit, ses parents ont installé des étagères le long des murs pour les y ranger. À l'école, ce que préfère la petite fille, c'est la littérature, et aussi l'histoire.

Huit heures moins le quart, déjà ! Miruna se presse, tirant sa grand-mère par le bras alors que celle-ci s'est arrêtée à un kiosque qui vend des croissants au chocolat. Pas de récréation pour Miruna sans croissant au chocolat ! Partout dans le quartier, on trouve ces kiosques dans lesquels on vend absolument de tout : journaux, croissants, bonbons, ampoules, cigarettes, livres, fournitures scolaires, savonnettes. Ce n'est pourtant pas l'heure de discuter avec la commerçante, même si on la connaît bien et qu'elle peut raconter la vie du quartier pendant des heures ! À travers les rues en mauvais état, les tramways qui surgissent dans tous les sens et bien souvent des trottoirs très étroits, elles poursuivent toutes deux leur chemin jusqu'à l'école numéro 11.

La porte est ouverte, Miruna aperçoit deux amies qui sont accompagnées elles aussi. Un bref signe de la main à sa grand-mère, et elle file en classe, le sourire aux lèvres. « À tout à l'heure ! ». On ne voit pas passer le temps, lorsqu'on aime apprendre. Miruna est studieuse comme la plupart des élèves de son âge à Bucarest. Elle est en classe de quatrième, qui est l'équivalent du CM1 car en Roumanie on compte les classes à l'inverse du système français. Elle écoute tous les cours attentivement pour faire partie des meilleurs élèves. C'est très important pour ses parents, qui lui offrent des leçons supplémentaires le soir en mathématiques et en langues pour qu'elle puisse avoir un avenir brillant et fréquenter plus tard les meilleures écoles. Comme Miruna, de nombreux élèves suivent des cours particuliers, mais aussi des leçons de musique ou de danse après la classe.

À 14 heures, c'est la fin des cours. Miruna rejoint sa grand-mère qui attend devant l'école. Elles se dirigent toutes deux vers la Piata Matache, un marché du centre-ville, pour y faire quelques courses.

La Piata

C'est déjà le printemps ! La grand-mère est persuadée que le printemps en Roumanie ne dure que quelques heures.

À peine sortie de l'hiver et de la neige, la ville éclate en bourgeons et en parfums, et cela en quelques jours. La température devient soudain très douce, quelques orages font fuir les passants vers les stations de métro. Les balcons des appartements regorgent de bouquets que l'on laisse à l'extérieur. Pour Miruna comme pour tous les Roumains, sortir de l'hiver long et enneigé est un grand événement. En Roumanie, on fête le printemps le 1er mars, et chacun offre à sa mère, sa sœur, sa fiancée un *martisor*, petit porte-bonheur fabriqué à la main. Les femmes le portent pendant tout le mois.

Sur les trottoirs, vers la Piata Matache, les marchandes de fleurs s'installent et leurs étalages débordent. Bucarest prend des airs de village au fur et à mesure que Miruna s'approche de la Piata.
Les marchés, même dans la capitale, sont des lieux incontournables pour

les familles. La Piata reste le lieu de vie des saisons roumaines, le cœur de la ville. Et surtout, la Piata est moins chère que les grandes surfaces qui ont ouvert leurs portes un peu partout depuis 2000. Même le salaire des parents de Miruna ne suffirait pas pour être un client régulier de ces grands magasins, où l'on trouve davantage de produits importés que de produits locaux.

Miruna a toujours accompagné sa grand-mère à Matache pour acheter les fruits, les légumes de saison et la viande. Sur la Piata, on trouve absolument de tout sur les étals. Du chou dans des barriques de saumure (sel) pour le garder plus longtemps, des petites herbes qui servent à préparer le *bors*, un potage aigre que Miruna apprécie particulièrement. On y achète aussi durant l'été une boisson à base de fleurs de sureau (le « suc de soc ») préparée par des paysannes. Miruna regarde partout autour d'elle la profusion des produits proposés, et écoute les marchandes qui interpellent les clientes par des noms affectueux : « ma belle », « ma petite »… Les autres jours de la semaine, la grand-mère et la fillette prennent le chemin de la maison en métro pour rentrer plus vite et se mettre aux devoirs.

À côté des petits producteurs locaux, la vente sur les marchés constitue un maigre salaire d'appoint pour les retraités. Certains vendent seulement quelques poignées d'herbes aromatiques.

Au pied de son immeuble, Miruna salue une voisine qui bat ses tapis dans la cour, faisant voler la poussière dans tous les sens. Un chien errant réclame un bout de pain, mais n'ose pas entrer dans l'immeuble. La petite église coincée entre les deux blocs a les portes ouvertes pour le grand ménage avant la messe de Pâques, qui aura lieu le samedi à minuit.

Sarbatori fericite ! *Joyeuses fêtes !*

Dans la religion chrétienne orthodoxe, on célèbre Pâques (la fête chrétienne qui rappelle la mort et la résurrection de Jésus-Christ) pendant trois jours. Cette fête religieuse est un événement important dans la vie des familles. La majorité des Roumains, qui sont de religion orthodoxe, considèrent que l'on doit préparer son esprit et sa maison à cet événement.

Le vendredi, la grand-mère de Miruna confectionne un pain en forme de couronne pour rappeler la couronne d'épines que portait le Christ sur la Croix ; c'est aussi pendant les jours précédant Pâques que le ménage doit être fait à fond dans l'appartement. La tradition veut aussi que chacun s'achète des vêtements neufs qui seront portés le dimanche de Pâques. Tout le monde s'affaire, court de droite et de gauche, pour trouver les derniers ingrédients indispensables au menu traditionnel. Ce repas comprend toujours des plats à base d'agneau : le rôti d'agneau, mais aussi le *drob*, qui est fait à base d'abats d'agneau, d'oignons verts et de fenouil. L'habitude est aussi de servir un potage en entrée, le *bors*. Miruna sait qu'elle dégustera au dessert la *pasca*, un gâteau qui contient du fromage frais, de la crème, des raisins secs et du sucre. En attendant le festin, la grand-mère de Miruna sort sa plus belle nappe brodée, et de grandes discussions sur le repas à venir se tiennent dans la cuisine.
Miruna prépare le matériel pour la cuisson des œufs qui décoreront la table de fête.

L'art des œufs peints en Roumanie

Parmi les arts populaires en Roumanie, les œufs teints et peints sont encore une tradition très vivante. Dans la région de Bucovine, au nord du pays, la technique s'enseigne de mère en fille.

Depuis peu, cet art semble intéresser les garçons aussi, mais ce fut avant tout une tradition d'enseigner la technique de mère en fille. Les œufs peuvent être en bois, de poule, de cane ou d'oie. Ils sont vidés avant d'être décorés ou même ornés de perles, mais le jour de Pâques, ce sont surtout des œufs durs teints en rouge (la couleur principale, évocation du sang du Christ), en blanc, en jaune ou en noir qui ornent la table. Si la couleur rouge se retrouve dans chaque famille, les œufs peints sont des œuvres uniques. Les motifs sont tous différents et la peinture d'un

Dès le vendredi qui précède Pâques, la famille prépare le repas traditionnel du dimanche : un rôti d'agneau, un pain en forme de couronne et le drob.

œuf peut prendre jusqu'à deux heures de travail. On recouvre les œufs de cire d'abeille, puis on trace des motifs et on plonge ensuite l'œuf dans un colorant. Les endroits cachés par la cire ne seront pas teintés. À la fin, la cire devra être fondue au-dessus d'une flamme avec d'infinies précautions. L'œuf est ensuite verni. Certains œufs sont aussi teintés à travers des feuilles ou des fleurs, apposées sur l'œuf et qui servent de pochoirs. Les œufs peints font partie de l'artisanat roumain et sont très réputés. Comme les œufs teints, plus fréquents sur la table, ils sont faits avant tout pour être offerts à ceux que l'on aime et que l'on invite à ce dimanche de Pâques en famille.

La nuit de Pâques, Miruna se rend à l'église avec ses parents et sa grand-mère. Ils emportent avec eux une bougie qui sera allumée à la fin de l'office (messe) et qu'ils déposeront ensuite sur la table de la salle à manger. La petite lumière est le symbole de la Bonne Nouvelle, la résurrection du Christ.

Pour célébrer Pâques, on allume des petites bougies et l'on offre à ses proches des œufs décorés à la cire d'abeille.

Les dimanches à Cismigiu

Les dimanches de fête, dans la famille de Miruna, on profite de la présence des invités. L'hospitalité se traduit par une abondance de plats et il n'est pas rare de rester des heures à table.

Ce que préfère Miruna, ce sont plutôt les longues promenades des dimanches ordinaires dans la ville, surtout pendant la saison des fleurs, au printemps. Pendant que son papa se repose ou travaille sur l'ordinateur, elle se rend au parc Cismigiu avec sa mère et sa grand-mère. C'est le plus ancien parc de la ville.

À la fin du XVIIIᵉ siècle, le prince de Moldavie et Valachie, Alexandre Ypsilanti, décida d'aménager sur ce terrain boisé une fontaine d'eau potable pour les habitants. Puis, au XIXᵉ siècle, le parc fut transformé en un véritable jardin public. Des arbres de toutes les régions d'Europe centrale furent plantés. C'est dans ce nouveau parc que fut lancée la mode de se faire photographier par des photographes qui proposent leurs services, et que fut construit le premier kiosque à journaux de la capitale... C'est là aussi que se rendaient les belles dames de cette époque. Elles se promenaient dans les allées, arborant leurs plus belles toilettes. Il était même très à la mode de parler français ! L'air du « Petit Paris » semble d'ailleurs toujours présent, les dimanches de printemps. Miruna ne se lasse jamais d'admirer les statues des écrivains, dont celle de son poète roumain préféré, le lac et ses barques, la cascade, les petits ponts de bois.

Parfois, sa mère décide de s'asseoir à une terrasse, Miruna mange une glace en observant les joueurs d'échecs installés sous les arbres et la grand-mère n'hésite pas à discuter avec d'autres personnes assises à côté d'elle. La conversation se termine toujours par le sujet des enfants, la cherté de la vie, les recettes de cuisine ou les fleurs.

Il y a toujours une autre grand-mère qui félicite Miruna d'être si jolie, si bien élevée. « On voit bien qu'elle a eu ses sept années de maison ! », s'exclame l'une des mamies. En effet, les enfants, en Roumanie, ne vont pas systématiquement à l'école maternelle. Ce n'est pas encore obligatoire, faute de places disponibles et de moyens financiers du gouvernement. Il est toujours bien perçu qu'un enfant soit resté à la maison pendant sa petite enfance. Cela signifie qu'il a eu une maman ou une grand-mère à ses côtés pour lui enseigner les bonnes manières pendant ses sept premières années.

Le dimanche après-midi s'étire et semble ne jamais vouloir finir. Miruna, sa mère et sa grand-mère remontent lentement la Calea Victoriei, une grande rue du centre-ville. Depuis dix ans, de nombreuses boutiques ouvrent ici comme dans toute la ville. Dans le moindre petit passage fermé ou les arrière-cours, les magasins rivalisent de belles vitrines.

 # Lèche-vitrine

Vêtements, décoration, grandes marques, le contraste est fort entre la poésie qui demeure encore à Cismigiu et la société de consommation toute récente en Roumanie.

La maman de Miruna aime bien faire du lèche-vitrine avec sa fille, mais se demande comment elle pourrait acheter ce qui lui fait envie. Même si Miruna n'est pas comme ses amies qui, chaque samedi, se précipitent dans le *mall* (immense centre commercial) et ne pensent qu'aux derniers jeux vidéo, ou bien veulent à tout prix un téléphone portable, elle grandit dans une ville qui propose à chaque instant quelque chose de nouveau et cela en très peu de temps. La société de consommation s'est mise en marche en Roumanie à partir des années 2 000 seulement, car le régime communiste s'y opposait.

Il est parfois difficile pour la petite fille de résister à l'attrait des publicités qui s'affichent partout et qui changent chaque jour. Cela va beaucoup trop vite aussi pour la grand-mère de Miruna qui n'a pas le même intérêt pour les magasins. Elle a souffert du manque de l'essentiel pendant des années, alors le superflu ne l'attire pas. Il lui a fallu faire la queue pendant des heures pour acheter du pain lorsque la population était affamée à cause des projets démentiels du dictateur, vivre avec seulement quelques heures de chauffage et d'eau par jour. Le lait pour les enfants, le sucre, le beurre pouvaient manquer. Seuls ceux qui avaient de la famille à la campagne pouvaient aller se ravitailler le week-end en légumes de saison, en poulets, en œufs ou en fromages.

Bucarest a retrouvé ses airs de « Petit Paris des Balkans », les restaurants et les bistrots y fleurissent depuis les années 1990.

L'heure bleue

D epuis le balcon, Miruna aime regarder la ville qui s'étend et le coucher de soleil qui adoucit les façades des immeubles.

Un pied de vigne tente de s'agripper à la façade du bloc et pousse de balcon en balcon. C'est le soir et les parents de Miruna attachent une grande importance à l'information, qu'elle soit télévisée ou dans les journaux. Ils se tiennent informés, car l'information était contrôlée par Ceausescu jusqu'en 1989. La télévision ne diffusait alors que peu de programmes et ils étaient choisis par le dictateur. Pour Miruna, c'est l'heure de dire *noapte buna* (« bonne nuit ») à ses parents. Sa grand-mère lui répond : *somn usor* (« sommeil facile, léger »).

Cosmin vit au bord de la mer Noire

Cosmin est un petit garçon de douze ans. Il habite avec ses parents à Constanta, la deuxième ville la plus importante de Roumanie en nombre d'habitants, dans la région de la Dobroudja, à l'est du pays. Les grandes plaines de la Dobroudja sont voisines de la Bulgarie au sud et de l'Ukraine au nord. Constanta est aussi le plus grand port roumain sur la mer Noire. C'est dans cette région que l'immense fleuve Danube achève son parcours après des milliers de kilomètres en Europe. Sur ses derniers kilomètres, par ses méandres, ses détours et ses bras tortueux pour contourner les dernières collines, le Danube a créé une région « à part » : un delta qui hésite entre terre et mer et se modifie sans cesse. La terre avance sur la mer, et le fleuve quant à lui dépose chaque année les tonnes d'alluvions qu'il a accumulés sur son parcours, créant ainsi des îles, des labyrinthes, des marécages comme bon lui semble. Un canal relie le Danube à la mer Noire. Il fut construit dans les années 1980 afin que les bateaux n'aient pas besoin de traverser le delta pour rejoindre la mer.

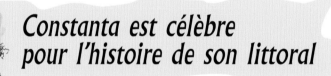

Constanta est célèbre pour l'histoire de son littoral

Constanta a été fondée par des colons grecs il y a 2500 ans. Au IVe siècle, les Romains débarquèrent sur ces rivages de la mer Noire à la conquête de nouvelles provinces. C'est l'empereur romain Constantin Ier qui donna alors le nom de sa sœur à la ville (Constantia). Les Turcs s'installèrent au XIIIe siècle et furent rejoints par d'autres colonies de Turquie à partir du XVe siècle, attirées par les possibilités d'échanges commerciaux. Nombreux sont ceux qui s'y établirent. Des Tatars (peuple d'Europe orientale et d'Asie,

qu'on appelle aussi « Tartares »), en majorité musulmans, qui fuyaient l'Empire russe dirigé par un tsar tyrannique, s'implantèrent au XIXᵉ siècle, ainsi que les Lipovènes, des Russes très croyants, eux aussi persécutés par le tsar Pierre le Grand. La région de Constanta leur offrit le refuge souhaité, suffisamment éloigné de la frontière russe pour être à l'abri des conflits ou des persécutions. À l'image de la Roumanie, la Dobroudja n'échappe pas aux influences culturelles ou religieuses des peuples qui y ont séjourné ou qui s'y sont installés.

Le père de Cosmin est d'origine lipoven, et la mère de Cosmin, elle, est d'origine bulgare. Ils possèdent un magasin de vêtements très à la mode sur le boulevard Tomis, une grande artère passante de la ville. Constanta, en dehors des activités portuaires, est essentiellement tournée vers le commerce et le tourisme. Des kilomètres de plages s'étendent jusqu'à la frontière bulgare. Les stations balnéaires se succèdent ainsi, dans un paysage d'immenses hôtels en béton sur le front de mer. Pourtant, Cosmin ne va pas souvent à la plage, car sa vie et surtout celle de ses parents, c'est avant tout le magasin !

Aux vacances d'été, lorsqu'il y a affluence de touristes et donc de clients (la population du littoral peut tripler pendant cette période !), ses parents sont si débordés de travail à la boutique que Cosmin préfère rejoindre ses grands-parents, qui eux habitent dans le delta du Danube. Il reste

Sur les rives de la mer Noire, de nombreuses villes balnéaires ont été construites comme celle de Constanta.

là-bas pendant toute la durée des vacances et ne rentre à Constanta qu'en septembre, pour la rentrée des classes. Le jeune garçon aime la nature, les oiseaux et le côté sauvage du delta.

Les hommes et le delta

Lorsqu'il arrive au début de l'été à Sfântu Gheorghe, le village de ses grands-parents, Cosmin est toujours bouleversé par le contraste entre la ville de Constanta, grouillante de monde, et ce qu'il pense être ici le bout du monde.

À cet endroit-là, le fleuve s'écoule paisiblement vers la mer, les eaux commencent à se mélanger, eau douce, eau salée… C'est le dernier village d'un des bras du delta qui en compte trois. Si l'on compare avec la Camargue, en France, le delta du Danube est quatre fois plus étendu. C'est surtout un lieu exceptionnel par la diversité de plantes et d'animaux qui s'y trouvent, car cinq mille espèces animales et végétales y vivent. Les pélicans, les cormorans et les cigognes s'y arrêtent dans leurs migrations, trois cents espèces d'oiseaux y séjournent. Dans les terres émergées, recouvertes de petites forêts, le grand-père de Cosmin, qui connaît chaque recoin du delta, a même aperçu un jour un loup ! Les villages sont rares, la nature ici a un pouvoir absolu.

Les hommes ont dû s'adapter pour survivre. Ils ont bâti leur maison avec les roseaux qui poussent par milliers sur de petites îles qui flottent. Ils se sont nourris des poissons du fleuve, dont l'esturgeon, duquel on tire le caviar ! Ils ont dû apprivoiser le labyrinthe des petits canaux qui soudain débouchent sur un grand lac que l'on n'attendait pas. Ils ont cultivé leur jardin sur de petites langues de terre de limon et y ont fait pousser ce dont ils avaient besoin pour se nourrir. Dans cet ensemble grandiose constitué de marais, d'îles, de roseaux, ils ont dû se mettre à l'abri des crues violentes et inattendues du fleuve et ont construit leur vie en marge de la société.

Le village de Sfântu Gheorghe

Cosmin connaît tous les habitants de Sfântu Gheorghe depuis sa plus tendre enfance. Il a parfois l'impression qu'ici, tout le monde est vieux et vit à une autre époque, mais il adore y revenir.

Pour rien au monde ses grands-parents ne quitteraient cet endroit, leur petite maison au toit de roseau, leur barque de pêche, leur cochon et leur vache, ainsi que leur potager derrière la maison.

Bien que peu éloigné des discothèques du littoral et des fêtes foraines, le village perpétue encore et toujours les traditions du peuple du delta : la pêche dans le fleuve, que Cosmin pratique avec son grand-père, qui a été pêcheur toute sa vie, et la pêche aux grenouilles, qui constitue encore un revenu complémentaire pour ses grands-parents. Il y a aussi à Sfântu Gheorghe une nouvelle activité économique : l'écotourisme, le tourisme « vert ».

Un complexe touristique a ouvert ses portes non loin de là. Cosmin espère de toutes ses forces que les touristes n'envahiront pas le delta comme cela s'est passé à Constanta, et que la nature du delta sera préservée. Sa grand-mère aimerait avoir une chambre d'hôte, accueillir des gens de passage, leur préparer les spécialités locales de poissons. Elle pense que ce revenu supplémentaire pourrait leur permettre de vivre mieux. À Sfântu Gheorghe, les habitants ne sont pas riches. Ils sont aussi très isolés. Dans le delta, tout le monde est ravitaillé par bateau, et le courrier ou le pain viennent aussi en bateau.

La première chose que fait Cosmin en arrivant à Sfântu Gheorghe, c'est enlever ses chaussures. Elles resteront posées dans un coin de la chambre jusqu'à la fin de l'été. Tout de suite après, il court vérifier que rien n'a changé autour de la maison. La petite barrière de branchages est toujours à sa place et délimite le potager. Les maisons des voisins sont peintes en bleu ou blanc, la treille de la vigne pousse sur la façade de la maison de ses grands-parents,

les filets de pêche sont bien rangés. Enfin, il court à l'embarcadère pour voir si la *lotca* (la barque de la famille) est bien là, amarrée !

Son grand-père a déjà commencé l'an dernier à lui apprendre à manœuvrer l'embarcation de bois. Fière et noire, la *lotca* peut fendre les eaux du delta, passer à travers les roseaux. On peut y mettre une voile, partir en toute quiétude pour une journée de pêche.

Dans sa lotca, le grand-père de Cosmin part pêcher tôt le matin.

Le lendemain matin comme à chaque vacances, Cosmin est réveillé plus tôt que son grand-père. C'est du moins ce qu'il croit, car celui-ci est déjà allé nourrir le cochon et les poules. Il a aussi trait la vache. Cosmin ne tient pas en place, il faut absolument partir pêcher. Son grand-père connaît son impatience et sa passion pour la nature, alors il se dépêche pour lui faire plaisir.

Un delta menacé

À 6 heures du matin, la barque noire file sur l'eau comme une pirogue. Dans le delta, ceux qui partent pêcher se croisent comme sur une route et se saluent. L'eau est chaude, poisseuse. Il peut faire 30 degrés les jours d'été.

Parfois, de violents orages font déborder le fleuve et ces crues torrentielles sont gravées dans les mémoires. Vers la sortie de Sfântu Gheorghe, les gros silures (poissons-chats) se laissent prendre. Certains, pêchés par son grand-père, peuvent peser jusqu'à 80 kilos ! Lorsque Cosmin était petit, son grand-père pêchait aussi l'esturgeon. C'est de la femelle qu'on extrait ensuite les œufs, connus sous le nom de « caviar ». Le caviar est vendu dans le monde entier très cher, dans les boutiques les plus luxueuses. La Roumanie a été longtemps l'un des pays qui exportait le plus de caviar. Mais depuis quelques années, la pêche de l'esturgeon est interdite ou très contrôlée pour que l'espèce, menacée, puisse se reproduire.

La surpêche et le prix du caviar ne sont pas les seules raisons à la disparition des esturgeons. La pollution est un autre des fléaux responsables. Durant ces années de pêche à outrance, lorsque des conserveries ont ouvert dans le delta pour produire plus et exporter davantage, de gigantesques combinats industriels ont été construits à proximité du delta. Des accidents sont survenus, polluant les eaux avec des produits chimiques extrêmement dangereux.

L'équilibre écologique a donc été mis en péril et, si la pêche est redevenue une activité artisanale, elle est dorénavant très réglementée et surveillée. Les pêcheurs du delta sont dans la situation difficile de devoir se nourrir, gagner un peu d'argent tout en respectant la réglementation et l'environnement. Pour les hommes de la génération du grand-père de Cosmin, ces interdictions peuvent être mal vécues. Cosmin, qui considère la pêche comme un loisir, comprend mieux les mesures qui ont été prises.

Un kilo de caviar peut coûter jusqu'à 8 000 euros. Le plus rare et le plus cher provient d'un esturgeon énorme appelé Beluga.

Une journée de pêche

Dans cette seule matinée qui s'écoule au rythme du fleuve, Cosmin aura vu des pélicans capables d'engloutir des centaines de kilos de poissons, des aigrettes, un ibis falcinelle sur les berges d'un *ghiol* (petit canal), des hérons, des cormorans, un martin-pêcheur, une spatule (un oiseau dont le bec a la forme de cet instrument). Il a mis sa main dans l'eau pour la laisser filer dans le courant et, vivement, il l'a retirée à la vue d'une couleuvre à collier. Arrivé à un lac très vaste, le grand-père a lancé les lignes. Au bout de quelques discussions sur la vie, la nature, les nouvelles de la ville et du magasin des parents, le soleil s'est levé plus chaudement encore et un sandre a mordu à l'hameçon.

Plus tard, ils ont changé de lac pour aller dans un coin à brochets, et ce n'est que lorsque Cosmin a eu soudain très faim qu'un brochet a daigné se montrer. Il ne devait pas être loin de midi. Le grand-père et le petit-fils ont ensuite fait une halte dans une île pour laisser passer les heures chaudes. Il y a dans le delta près de quatre cents lacs. Certains sont entièrement recouverts de nénuphars. D'autres rappellent la mer par leur immensité, et sont envahis seulement de pélicans. Et d'autres enfin laissent surgir une petite île de rien du tout, grande comme un mouchoir de poche. Une petite sieste pour le grand-père près de l'eau, une promenade pour Cosmin sur ce bout de terre. Il n'a pas rencontré de crapauds verts et sonneurs à ventre de feu (ce n'est peut-être pas l'heure où ils sortent), ni de ces visons dont on parle dans le delta. Il a juste vu des grenouilles, en quantité incroyable. Sans doute identiques à celles dont il a mangé les cuisses au repas de midi avec son grand-père.

Dans la soirée, au retour de la pêche, les habitants du village sont nombreux à l'embarcadère. Une lotca à moteur est amarrée, chargée de colis et de pastèques à vendre. Cosmin aperçoit sa grand-mère. Il rentre avec elle à la maison, épuisé mais heureux. Il est temps d'allumer un feu de bois dehors pour faire cuire les poissons. Sa grand-mère prépare une soupe qui, comme la bouillabaisse, est faite à base de plusieurs poissons. Elle la cuisine avec de l'eau du fleuve et y ajoute quelques feuilles de roseaux. Cette soupe partagée le soir avec ses grands-parents a le goût des vacances et du bonheur. Les oiseaux chantent à nouveau en fin de journée et cela ne gêne pas le silence, pense Cosmin.

 ## L'aventure du delta continue jusqu'en septembre

Cosmin a entendu parler de la visite du commandant Cousteau, le célèbre explorateur français, à Sfântu Gheorghe.

En parlant de la richesse de l'écosystème du delta à travers la communauté internationale et de l'urgence qu'il y avait à préserver cette région, le commandant Cousteau a contribué à ce que le delta figure au patrimoine mondial de l'Unesco. C'est chose faite depuis 1991. Grâce aux efforts des biologistes roumains et étrangers, le delta du Danube est maintenant classé « réserve de biosphère ».
L'Europe a pour projet d'aider à limiter la pollution qui a déjà fait de nombreux dégâts dans le delta. La salinité de certains lacs a été modifiée à cause de la construction d'une route. Une ville proche continue de déverser ses eaux usées dans le Danube. Lorsque Cosmin reprendra les cours, il proposera à son professeur de faire un exposé sur l'écologie dans le delta. Il est persuadé que tous les jeunes de Roumanie doivent prendre conscience de l'urgence qu'il y a à parler de l'écologie et à agir pour l'avenir de tous. Il songe à cela en préparant ses affaires, car son grand-père l'accompagne jusqu'à Sulina (le port principal du Danube, qui donne sur la mer Noire), où viendront le chercher ses parents. Il leur demandera si les ventes ont été bonnes. Il retrouvera ses amis et la ville de Constanta.

Un matin de septembre qui s'approche, il va remonter le boulevard Tomis. Son ami Mehmet l'attendra, celui qui est d'origine turque et lui a fait découvrir les cent quarante marches de la Grande Mosquée qui

Les pélicans sont devenus l'emblème du delta.
Ces oiseaux protégés sont plus de 3 000 à venir y nicher chaque année.

mènent au minaret. Après l'école, ils iront se promener un moment sur le front de mer et, enfin, il rejoindra ses parents au magasin pour leur donner un coup de main si nécessaire. Il aura grandi pendant ces vacances, sa mère ne cessera de le lui répéter. Pourtant, ce jour-là de septembre, tout proche, Cosmin écoutera d'une oreille le professeur en classe et de l'autre le clapotis de l'eau, là-bas, dans le delta.

« Combien pèsera donc le prochain silure que nous pêcherons ? »,

se dira-t-il… Cette pensée de vacances adoucira un peu l'inquiétude qui habite Cosmin à propos du danger écologique qui menace « son » delta. Il est primordial pour lui de protéger un lieu unique comme le delta du Danube, même si l'écologie se heurte à des réalités économiques. Cosmin, comme d'autres jeunes, tentera de faire prendre conscience à tous ceux qui l'entourent que cette région est une réserve naturelle sans équivalent. La pollution n'est pas seulement le problème de la Roumanie. C'est le problème de tous les ex-pays de l'Est qui n'avaient pas pris jusqu'à présent la mesure des dangers pour l'écologie.

Double page suivante : Construit au XIVe siècle, le château de Bran devait défendre et surveiller la route des échanges commerciaux entre la Valachie et la Transylvanie. Ce n'est que bien plus tard qu'il fut associé au personnage de Dracula. Vlad Tepes y a-t-il véritablement séjourné ? Le mystère reste entier…

Marius, enfant rom

Marius, ses deux frères, sa sœur et toute sa famille habitent dans le quartier tsigane du village de Zizin, qui se trouve au pied des montagnes des Carpates, en Transylvanie. Marius connaît bien cette région, ses châteaux et ses monastères. Il aide sa mère à vendre des souvenirs aux touristes à Bran et à Sinaia.

La Transylvanie, combats, légendes et drames

La Transylvanie est une grande région du centre-ouest de la Roumanie. Elle est délimitée par les montagnes des Carpates, qui sont le prolongement des Alpes. Les Carpates couvrent à peu près un tiers du territoire roumain, avec un point culminant, le mont Moldoveanu (2 544 m).

La Transylvanie est très visitée. À 15 kilomètres de Zizin, la grande ville médiévale de Brasov voit arriver de nombreux touristes roumains et étrangers. L'hiver, c'est le ski qui les attire dans la région, car la station de Poiana Brasov est la plus réputée de Roumanie, et les Bucarestois l'adorent. Au printemps et en été, les touristes défilent cette fois dans le château de Bran, le célèbre château associé à la légende de Dracula. Et les amateurs peuvent même chasser l'ours dans les environs de Brasov !

Dans ces montagnes sauvages que fréquentent les ours et les loups depuis la nuit des temps, il y a toujours eu des combats et des luttes. Les habitants d'aujourd'hui sont ainsi des descendants de Hongrois qui peuplèrent la région dès le Moyen Âge, ou de colons allemands que firent venir les Hongrois au XIIIe siècle pour développer le travail des mines. Magyars (Hongrois) et Saxons (Allemands) fondèrent plusieurs cités dans la région. La ville de Brasov date de 1211, lorsque des chevaliers chrétiens

allemands (teutons) bâtirent des fortifications pour repousser les envahisseurs mongols qui tentaient une grande invasion.

Les Roms sont vraisemblablement arrivés en Transylvanie au XIIIᵉ siècle, sans doute poussés par les vagues successives de l'invasion mongole. Et c'est en cherchant refuge et protection que les ancêtres de Marius se sont installés dans la région.

Un peuple mystérieux

Marius est rom, comme tous ceux de son quartier. Il a souvent interrogé son grand-père sur l'histoire de ce peuple, mais il n'a jamais assez de réponses !

C'est une histoire étrange et peu connue car les Roms eux-mêmes ont entretenu le mystère autour de leurs origines. Son grand-père lui a expliqué que partout dans le monde et encore de nos jours, on donne à ce peuple des noms différents.

En romani, la langue des Roms, on dit *romani cel*, ce qui signifie « groupe d'hommes », « peuple tsigane ». Ce mot s'est transformé en « romanichels », et c'est de cette façon qu'on appelait les Roms voyageurs, mais cette fois avec un sens péjoratif, pour désigner ce peuple d'une manière négative.

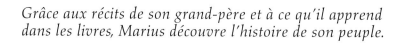

Les noms de Manouches, Bohémiens, Gitans ont longtemps été donnés aux Roms. La plupart du temps, tous ces termes

Grâce aux récits de son grand-père et à ce qu'il apprend dans les livres, Marius découvre l'histoire de son peuple.

étaient péjoratifs, dévalorisants, parce qu'ils montraient du doigt des indésirables, des marginaux, des voyageurs venus de nulle part. Les historiens se rangent pourtant à l'hypothèse indienne, selon laquelle le peuple rom serait un peuple migrant parti du nord de l'Inde. Ils faisaient partie d'une catégorie sociale ou professionnelle « à part », comme les intouchables, qui sont situés tout en bas du système des castes de l'Inde. Le peuple rom aurait donc été rejeté, et ne se serait jamais vraiment fixé par la suite.

L'histoire des Roms est peu connue car il n'existe pas d'écrits, de récits pour expliquer leur origine. Leur langue est orale. Or, si l'histoire d'un peuple n'est pas écrite, elle se perd à travers les époques et les migrations. « Rom », qui signifie avant tout « homme », « être humain », a été adopté récemment par les Roms ainsi que par les Nations unies : c'est ainsi qu'ils sont à présent reconnus et identifiés dans la communauté internationale.

L'histoire des Roms de Roumanie

L e grand-père de Marius a aussi raconté à son petit-fils l'histoire récente, celle qu'il a vécue. Et Marius, lui, est allé voir dans les livres d'histoire pour en savoir plus.

Ses origines l'intéressent et il sait également que les Roms du village sont aujourd'hui des citoyens roumains comme les autres avec les mêmes droits. Ce ne fut pas toujours le cas, Marius l'a lu et compris.

Dans un très vieux livre qu'il a trouvé dans la bibliothèque de l'école, il est dit que les Roms étaient utilisés comme esclaves en Roumanie au XIVᵉ siècle. Ils exerçaient des métiers traditionnels recherchés. Ils maîtrisaient l'élevage des chevaux, le travail des métaux et savaient défricher des terres. Ces tâches correspondaient au besoin de main-d'œuvre, et les Roms se retrouvèrent ainsi sous la coupe des voïvodes, des sortes de gouverneurs de région qui les utilisèrent comme bon leur semblait. Les

Roms subirent alors une véritable forme d'esclavage. Certains Roms poussèrent leur voyage plus loin vers l'ouest, cherchant des terres d'adoption plus clémentes. La *robie* (« esclavage ») fut abolie en Roumanie au milieu du XIXe siècle. Ce peuple qui avait été maltraité, vendu ou chassé pendant des siècles a longtemps continué d'être rejeté par la population locale.

Ceausescu et les Roms

Le grand-père de Marius parle souvent avec les plus âgés de la communauté rom, le soir.

Marius écoute, assis sur le lit dans la petite cuisine, en posant sa tête sur l'épaule de sa grand-mère. Il n'y a pas beaucoup de place pour recevoir du monde dans la cuisine, mais l'hiver Marius aime être près du poêle à bois, bien installé sur les coussins fleuris. Sa mère fait aussi du café pour les amis du quartier, quelquefois des beignets. Il faut se serrer entre le petit lit, la table de cuisine et le mur, mais le manque de place, tous y sont habitués. Ils boivent un verre de *tuica*, l'eau-de-vie régionale, et discutent du « temps de Ceausescu », le dictateur au pouvoir de 1965 à 1989.

Cette période aussi fut hostile aux Roms. Ils furent contraints d'abandonner leurs métiers traditionnels, de se sédentariser (vivre au même endroit) et n'eurent d'autre choix que d'aller travailler dans les fermes ou dans les usines d'État, comme l'a fait le grand-père de Marius. Jamais on ne lui proposa un emploi qualifié ou une responsabilité. S'il avait voulu gravir les échelons (progresser), il aurait fallu pour cela qu'il renie ses origines roms, qu'il fasse semblant de n'avoir jamais été tsigane. Et ça, le grand-père de Marius s'est toujours refusé à le faire. À cette période, la musique ou le folklore roms n'étaient tolérés que pour amuser les touristes ou donner aux autres pays l'image d'une Roumanie dans laquelle régnait une égalité entre les Roms et les autres Roumains.
Le grand-père de Marius fut un des premiers à être mis à la porte de l'usine en 1990, lorsque le chômage fit son apparition dans les usines

d'État. Les Roumains licencièrent d'abord les Roms. Ceux-ci furent nombreux à perdre leur emploi et connurent un rejet encore plus grand, qui prit parfois des formes d'une grande violence.

Qui a peur des Roms ?

L e peuple tsigane, avec ses mystères et ses voyages, l'inconnu, les légendes qui l'accompagnent, a inspiré partout la crainte.

Comme sa mère avant elle, la maman de Marius lit dans les lignes de la main. C'est la tradition. Elle s'en sert pour gagner un peu d'argent lorsqu'elle va à Brasov, les jours de marché ou à la sortie de la gare. Elle propose aussi la « bonne aventure » à la sortie de la visite du château de Bran. Les touristes affluent toute l'année. Ils lui achètent des petits paniers qu'elle confectionne, agrémentés de bouquets de perce-neige au printemps. Lorsque Marius est avec elle, il se rend compte que son père dit vrai lorsqu'il parle de crainte dans les yeux des *gadjé*, les non-Roms. Il en parle toujours en riant, comment les Roms ont toujours fait peur aux *gadjé* quel que soit leur pays d'adoption. Qui, même de nos jours, n'a pas entendu ces histoires de bohémiens voleurs de poules, et même voleurs d'enfants ? Ou de ces pratiques étranges, des philtres d'amour faits à base de plantes ou des sorcières gitanes qui prédisent l'avenir ?

Cette peur des Tsiganes est avant tout la peur de l'inconnu. Mais le nomadisme des Roms, la liberté que cela représente pour ceux qui sont attachés à leurs biens matériels avant tout ont certainement renforcé cette crainte.
Les lois des Roms ne sont pas forcément les lois des *gadjé*, et si les Roms sont considérés comme étrangers partout, vivant en marge de nos sociétés, alors il leur est plus difficile d'accepter et de respecter les lois des autres. Le grand-père de Marius espère qu'un jour l'incompréhension mutuelle pourra disparaître.

Marius, comme tous les Tsiganes, croit au mauvais sort.

Tout bébé, il a porté un bracelet de fils rouges au poignet, censé éloigner les maladies et le protéger de tous les dangers. Les chevaux de son père portent également des pompons rouges accrochés à l'encolure pour les protéger. Lorsque Marius accompagne sa mère au château de Vlad Tepes pour y vendre des souvenirs, il constate que là-bas, à Bran, les touristes aussi sont superstitieux. Ils croient aux vampires !

Vlad III Basarab, surnommé « Tepes »(l'empaleur), utilisait la terreur pour marquer les esprits. C'est ainsi que le mythe du « diable » (drac en roumain) buveur de sang fut associé au prince guerrier, devenant la légende du vampire, répandue à travers le monde entier.

Marius espère qu'il y aura beaucoup de touristes pour acheter les paniers tressés, les cuillères en bois sculpté ou les napperons faits main que vend sa mère. Lui et sa maman se sont installés pour la journée à l'entrée du château. Le petit garçon connaît toutes les pièces et même l'escalier secret. Il pourrait raconter la véritable histoire de Dracula, à faire trembler un *gadjo* ! Au XVᵉ siècle, un certain prince Vlad Tepes habitait le château. On le surnommait le *dracul* (« diable » ou « dragon » en roumain) en raison de sa cruauté, surtout envers les Turcs qui avaient envahi ses terres. Il les faisait empaler, leur coupait la tête et leur clouait le turban sur le crâne. Ses ennemis le craignaient à un tel point que, même aujourd'hui, on dit aux petits enfants turcs : « Attention, le *kaziglu bey* (l'empaleur) va venir ! » Ce prince sanguinaire inspira l'écrivain Bram Stoker pour son personnage de

Page de droite : Le prince Vlad Tepes, autrement appelé Vlad « Dracul », hante l'histoire locale pour le plus grand bonheur des touristes.

Dracula, dans son célèbre roman écrit au XIXe siècle, dont furent tirés ensuite tant de films de vampires.

L'hiver, bien sûr, tout est différent. Il n'y a pas grand-monde et la saison est cruelle pour les Roms. À Brasov ou à Bran, le climat est très rude. Les visiteurs n'affluent pas par – 20 degrés. La neige tombe en abondance et les routes peuvent être coupées. Pour l'instant, Marius n'y pense pas. Lorsque la journée sera terminée, il prendra la route du retour vers Zizin dans la charrette et s'endormira peut-être en rêvant d'un pays sans neige, d'un avenir plus doux.

Entre forêt et rivière, en marge de la grande ville

Dans le quartier des Roms, le père de Marius a construit l'an dernier une petite maison en bois.

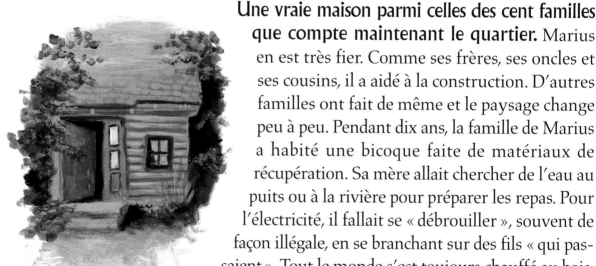

Une vraie maison parmi celles des cent familles que compte maintenant le quartier. Marius en est très fier. Comme ses frères, ses oncles et ses cousins, il a aidé à la construction. D'autres familles ont fait de même et le paysage change peu à peu. Pendant dix ans, la famille de Marius a habité une bicoque faite de matériaux de récupération. Sa mère allait chercher de l'eau au puits ou à la rivière pour préparer les repas. Pour l'électricité, il fallait se « débrouiller », souvent de façon illégale, en se branchant sur des fils « qui passaient ». Tout le monde s'est toujours chauffé au bois, grâce à la proximité de la forêt. Lorsqu'il était très petit, Marius, ses frères et sa sœur allaient en ramasser. Maintenant, la maison a l'électricité, des toilettes rudimentaires à l'arrière, mais il n'y a toujours pas suffisamment de points d'eau potable pour toutes les familles roms.

Les Roms habitent désormais dans des maisons en bois, avec l'électricité.

42

Lorsqu'il y a de la demande, et en fonction des saisons, son père va travailler dans les villages des alentours.

Comme d'autres hommes du quartier, il est la plupart du temps embauché pour travailler dans les champs, ramasser des pommes de terre, aider dans le bâtiment ou balayer les rues. Marius est fier de son père, qui peut gagner jusqu'à l'équivalent de 6 euros par jour, même si cela n'est pas régulier. Cela dépend des endroits, et parfois ceux qui l'emploient le paient en nourriture et pas en argent.

D'autres familles sont beaucoup plus pauvres, et ne peuvent vivre que de l'aide sociale, qui est dérisoire. Les pays membres de l'Union européenne (dont la Roumanie fait partie) sont sensibles à la situation difficile des Roms. Situation qui ne s'est d'ailleurs pas améliorée autant que nécessaire depuis les années 2000. (Il existe toutefois des Roms très riches, mais ils ne vivent pas dans des villages comme Zizin). Les Roms ont toujours été marginalisés car le travail qu'on leur donnait était généralement celui que personne ne voulait faire. Dans le même temps, on leur reprochait de ne

Le père de Marius n'a pas d'emploi fixe. Il travaille sur des chantiers ou dans les champs, où il ramasse les pommes de terre.

pas vouloir « s'intégrer ». Des projets sont en cours pour vaincre la pauvreté et l'exclusion dont ils souffrent. Les mentalités commencent également à changer autour d'eux et chez eux.

Le travail des enfants

Marius travaille souvent avec son père, ainsi que ses frères, pour rapporter un peu plus d'argent à la maison.

Toutes les familles roms fonctionnent ainsi, avec le travail d'appoint des enfants. À la saison des pommes de terre, un peu avant le début de l'automne, ils partent très tôt, en charrette, pour Purcareni, un village voisin. Les Roms de la région de Zizin se déplacent souvent en charrettes attelées à des chevaux, puisque chaque famille en possède si elle peut les nourrir. Ces matins-là, Marius et son père avalent rapidement un café très fort avec beaucoup de sucre avant de prendre la route. Sa mère et sa grand-mère embrassent au moins dix fois Marius. En chemin, ils passent devant l'école… Encore un jour où le garçon n'ira pas.

En passant devant l'école

Les enfants des familles roms de Zizin ne vont pas tous en classe, et jamais de façon régulière, même si c'est en théorie obligatoire en Roumanie pour tous les enfants.

Chez Marius, par exemple, ils y vont à tour de rôle, car la priorité pour les familles est de travailler pour se nourrir et se soigner. Quand ce n'est pas Marius qui aide ses parents, c'est sa sœur, et *vice* *versa*. Pendant longtemps, il fut difficile pour les Roms de s'inscrire à l'école. Les familles devaient présenter un extrait de naissance, et elles ne le pouvaient pas toujours parce que le document était payant.

Chaque fois qu'il manque les cours, Marius a une petite pointe à l'estomac. Il aime travailler aux côtés de son père et des hommes de Zizin, mais il adore aussi l'école. Là-bas, on ne parle pas des mêmes choses, on apprend. L'institutrice est très jeune et très gentille. Elle dit souvent aux enfants qu'elle les trouve doués. Un peu plus loin sur la route, Marius voit les enfants de familles hongroises, qui sont nombreuses à Purcareni. Ils se rendent à l'école hongroise, car leurs familles n'ont jamais eu l'habitude de mélanger les enfants d'origine différente.

Les parents de Marius savent bien que c'est l'école qui changera la vie des Roumains roms. Étudier est le meilleur moyen de ne plus être exclu. Pour tous les Roms de Roumanie, la scolarisation normale est une priorité. Les parents de Marius font comme ils peuvent, en fonction des saisons, des moyens. Ils espèrent que tous leurs enfants termineront l'école primaire,

C'est en Roumanie que vit le plus grand nombre de Roms : environ deux millions de personnes. La moitié des enfants roms ne terminent pas leur scolarité en primaire, surtout les filles.

et même, qui sait, l'un d'entre eux poursuivra peut-être des études à Brasov. Les mères sont remplies d'espoirs secrets. Les changements passeront sans doute par elles et par la volonté des jeunes comme Marius de se construire un avenir à chance égale avec les autres jeunes.

Jour de fête à Zizin

Le cousin Daniel se marie. C'est jour de fête dans le quartier ! Bien sûr, Marius et toute sa famille y seront, c'est un grand moment ! Il peut y avoir des centaines d'invités !

La famille, chez les Roms, a une valeur très importante et cela vaut aussi pour la famille « élargie », c'est-à-dire tous les oncles, tantes, cousins et cousines connus. Ils seront tous là pour le mariage. Dans la tradition rom, on se marie très jeune, parfois dès quatorze ans. Adolescente, la jeune fille est considérée comme assez mûre pour fonder une famille. Les parents décident souvent longtemps à l'avance qui leurs enfants doivent épouser, et la jeune fille connaît sa future belle-famille. Les fiançailles peuvent même avoir lieu avant, vers l'âge de huit ans, et pour le mariage, les jeunes époux seront accompagnés d'un parrain et d'une marraine. Le mariage a lieu au sein de la communauté rom et la jeune femme ira vivre chez ses beaux-parents. Il arrive que la jeune fille reçoive de sa belle-famille un nouveau prénom pour symboliser sa nouvelle vie de femme mariée.

La jeune mariée de Zizin est belle comme un cœur avec ses longs cheveux.

La fête va durer trois jours et les préparatifs ont commencé il y a des

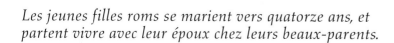

Les jeunes filles roms se marient vers quatorze ans, et partent vivre avec leur époux chez leurs beaux-parents.

*...s fêtes de famille sont l'occasion pour les Roms de
...uer de la musique. Au son des violons, les femmes
...nt tourner leurs robes.*

semaines ! Ce qui réjouit Marius par-dessus tout, c'est la musique ! Dans les familles tsiganes, on apprend à jouer d'un instrument dès l'âge de quatre ans et on apprend « à l'oreille », sans professeur ! La musique tient une place très importante dans la vie des Roms, qui trouvent dans ces occasions la joie d'être tous réunis. Au cours des siècles et en ayant traversé tant de contrées, leur peuple a collecté les rythmes et les musiques du monde. Les musiciens roms sont d'une virtuosité extraordinaire, maîtrisant souvent plusieurs instruments. Marius court partout, regarde les préparatifs, va voir les musiciens de plus près. Le violoniste porte moustache et chapeau noir. Les femmes dressent l'immense table et tournent autour en faisant virevolter leurs longues jupes fleuries. Marius regarde sa mère, qui prépare la *mamaliga* (bouillie de farine de maïs). Elle la tourne avec un bâton rond pour la faire cuire. Les femmes rient entre elles, l'odeur des *mititei* (petites saucisses sans peau) embaume le quartier. Des choux farcis mijotent, des volailles rôtissent. Soudain, le violoniste improvise et sa trille l'emporte sur tous les parfums. C'est la joie dans le cœur des hommes riches ou pauvres, qui vont danser et chanter toute la nuit.

La revedere ! (« Au revoir »)

Crédits photographiques :

Achevé d'imprimer en décembre 2009 en France

Produit complet POLLINA - L52283

Dépôt légal : janvier 2010
ISBN : 978-2-7324-4024-8

Voici les pays visités dans la collection Enfants d'ailleurs

Alaska

Canada

États-Unis

Guatemala

Brésil

Maroc

Algé

Sénégal

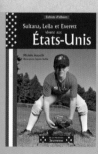
Sultana, Leila et Everett vivent aux **États-Unis**

Kathryn, Sébastien et Virginie vivent au **Canada**

João, Flávia et Marcos vivent au **Brésil**

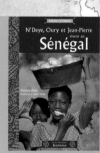
N'Deye, Oury et Jean-Pierre vivent au **Sénégal**

Anna, Kevin et Nomzipo vivent en **Afrique du Sud**

Ikram, Amina et Fouad vivent en **Algérie**

Aoki, Hayo et Kenji vivent au **Japon**

Ahmed, Dewi et Wayan vivent en **Indonésie**

Sacha, Andreï et Turar vivent en **Russie**

Joumana, Omar et Alia vivent au **Liban**

Rigoberta, Juan et Marta vivent au **Guatemala**

Aina, Lalatiana et Alisoa vivent à **Madagascar**